P9-DDH-902

Planeta Tierra

Primera Edición: 2007
ISBN: 978-84-96609-97-6
Título original: Planet Earth
Edición original: © Kingfisher Publications Plc
Maquetación: TXT Servicios editoriales – Esteban García Fungairiño
Traducción: Equipo Edilupa

Agradecimientos
La editorial quisiera agradecer a aquellos que permitieron la reproducción de las imágenes. Se han tomado todos los cuidados para contactar con los propietarios de los derechos de las mismas. Sin embargo, si hubiese habido una omisión o fallo la editorial se disculpa de antemano y se compromete, si es informada, a hacer las correcciones pertinentes en una siguiente edición.

i = inferior; ii = inferior izquierda; id = inferior derecha; c = centro; ci = centro izquierda; cd = centro derecha; s = superior; sd = superior derecha; d = derecha

Fotos: cover 1 Photolibrary.com; 2-3 Photolibrary.com; 4-5 Corbis Clay Perry; 6 Getty Imagebank; 7 Getty Stone; 8ii Photolibrary.com; 8-9 Science Photo Library Roger Harris; 9b Photolibrary.com; 12i Corbis Rupak de Chowdhuri; 13s Photolibrary.com; 13id Getty Photodisc; 12-13 Science Photo Library Pekka Parvianen; 16-17 Getty Imagebank; 16cd Photolibrary.com; 18ii Corbis NASA; 18-19 Getty Stone; 20-21 Corbis Tom Bean; 21id Getty AFP Yoshikazu Tsuno; 22-21 Corbis R.T. Holcomb; 23sd Corbis Charles & Josette Lenars; 24-25 Photolibrary.com; 24c Corbis Galen Rowell; 25si Getty Stone; 26i Corbis Michael Freeman; 26-27 Getty Imagebank; 27s Photolibrary.com; 29 Corbis Audrey Gibson; 30-31 Getty Imagebank; 30i Corbis Robert Weight; 31sd Arcticphoto; 32-33 Corbis Yann Arthus-Bertrand; 32ii Frank Lane Picture Agency Minden Pictures; 33si Photolibrary.com; 34-35 Photolibrary.com; 34si Frank Lane Picture Agency Minden Pictures; 34i Getty Taxi; 35ii Corbis Craig Tuttle; 36-37 Frank Lane Picture Agency Minden Pictures; 36i Getty Stone; 37sd Corbis Michael Yamashita; 38-39 Getty Digital Vision; 38i Getty Photodisc; 39id Corbis Tim Wright; 40-41 Getty Digital Vision; 40ii Getty Photodisc; 41c Getty Photodisc; 48 Alamy Bryan & Cherry Alexander

Fotografía por encargo de las páginas 42-47 por Andy Crawford.
Agradecimiento a los modelos Alex Bandy, Alastair Carter, Tyler Gunning and Lauren Signist.
Impreso en China - Printed in China

Planeta Tierra

Deborah Chancellor

Contenido

¿Qué es la Tierra?

La Tierra es uno de los ocho planetas que giran alrededor del Sol en nuestro Sistema Solar. Desde el espacio la Tierra se ve azul. Esto es porque la mayor parte del planeta está cubierta por océanos y mares.

Los continentes

Las grandes áreas de tierra se llaman continentes. Podemos ver la forma de los continentes en fotos tomadas desde el espacio. Esto es el sur de América.

La atmósfera

Alrededor de la Tierra hay una capa de gases llamada atmósfera. Las nubes se arremolinan en la atmósfera.

Sistema Solar *– los planetas que giran alrededor del Sol*

gases *– sustancias sin forma que pueden llenar cualquier espacio*

Dentro de la Tierra

La Tierra es un planeta rocoso, dividido en tres partes: corteza, manto y núcleo. Nosotros vivimos en la corteza, una capa delgada de roca. No muy lejos de nuestros pies, la roca está tan caliente que es líquida.

corteza

La corteza

En algunos sitios bajo el mar, la corteza tiene sólo seis kilómetros de grosor. En general, la corteza tiene cerca de 35 kilómetros.

El núcleo

El núcleo es la parte más caliente de la Tierra. En el núcleo, las temperaturas alcanzan hasta 5.000° C.

manto

núcleo interior

núcleo exterior

El manto

La roca ardiente del manto de la Tierra se funde. La roca fundida sale cuando un volcán hace erupción.

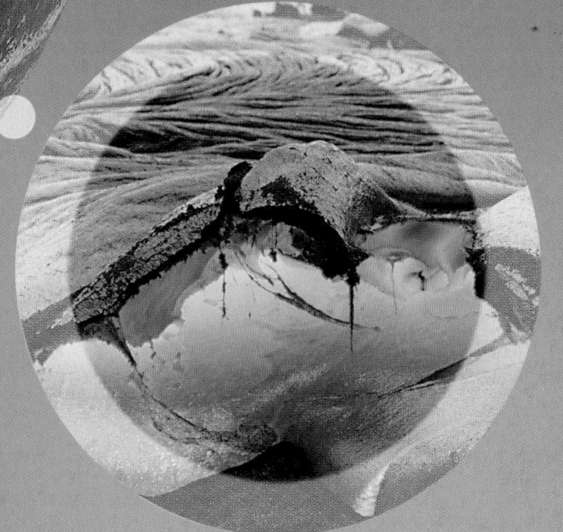

roca fundida – *roca caliente y líquida*

El ciclo del agua

El agua del planeta va cambiando de estado y de lugar. El Sol calienta el agua del mar, volviéndola vapor de agua. Este vapor se eleva por el aire y luego cae en forma de lluvia. La lluvia fluye de nuevo al mar. Este proceso se llama ciclo del agua.

El Sol calienta el agua del mar, formando vapor de agua.

El agua cae en forma de lluvia.

Un mundo de agua

La mayor parte del agua del mundo está en los océanos. En el ciclo del agua sólo se mueve el uno por ciento de toda el agua del planeta.

vapor *– líquido en estado gaseoso*

El agua cae en forma de lluvia.

El vapor se eleva para formar nubes.

El agua se junta en ríos y fluye hacia el mar.

Lluvia

El vapor de agua en las nubes cae a la tierra en forma de lluvia. Mawsynram, al norte de la India, recibe más de 11 metros de lluvia al año. Es el lugar más húmedo del mundo.

Tiempo y clima

El tiempo atmosférico se produce al cambiar el aire que nos rodea. El aire puede moverse o estar en calma, ser caliente o frío, húmedo o seco, o mezclarse. El agua es una parte muy importante del clima. Sin ella no habría nubes, lluvia o niebla.

Clima tropical
El tiempo que hace en un lugar durante un periodo largo se llama clima. Los climas varían en todo el mundo. En lugares tropicales, el clima es caliente y húmedo.

contaminación *– desperdicios dañinos*

Clima desértico

En los desiertos, el clima es seco. En promedio, los desiertos reciben menos de 2,5 centímetros cúbicos de lluvia al año. Si toda la lluvia cayera a un tiempo, habría inundaciones.

Atrapando calor

La contaminación en el aire puede atrapar parte del calor solar e impedir que vuelva al espacio. Como resultado, nuestro clima puede volverse más caluroso cada año.

trópico *– zona central de la Tierra con un clima muy cálido y húmedo*

Nubes, lluvia y nieve

Las nubes se forman con millones de gotitas de agua o cristales de hielo y tienen muchas formas y tamaños. Las gotas se unen en las nubes para formar la lluvia, y los cristales de hielo forman los copos de nieve.

Nieve

Los copos de nieve se suelen fundir mientras caen a la Tierra. Pero si el aire cerca del suelo es también frío, caerá en forma de nieve.

Tipos de nubes

Las nubes estratos pueden traer lluvia. Los cúmulos se ven en días soleados. Los cirros altos y espigados son de hielo.

cirros

cúmulos

estratos

Nubes de tormenta

Las cumulonimbos son las mayores de todas. ¡Algunas son más grandes que el Everest! Producen fuerte lluvia, truenos y rayos.

cristales de hielo *– diminutos trozos de hielo*

Viento

El viento es aire que se mueve. Puede ser suave, como la brisa, o fuerte, como un vendaval. El viento se forma cuando el Sol calienta el aire y lo hace subir. El aire frío corre a llenar el vacío, haciendo soplar el viento.

Cuando sopla el viento

El viento puede moverse a diferentes velocidades. Como brisa suave desplaza las nubes por el cielo. Los vientos fuertes agitan los árboles y los más fuertes, llamados huracanes, pueden causar grandes daños.

Corrientes de aire

Las aves se desplazan por las corrientes de aire caliente ascendentes. Las gaviotas casi no tienen que batir las alas para permanecer en vuelo.

corrientes *– movimientos en la misma dirección*

Huracanes y tornados

Los huracanes y los tornados son peligrosas tormentas de viento. Los huracanes se forman en el mar, y si llegan a tierra pueden causar grandes daños. Los tornados son potentes torbellinos que se forman sobre la tierra.

Huracán

Esta fotografía de satélite muestra un huracán en el mar Caribe. Se dirige hacia la costa de Florida, en EEUU.

fotografía de satélite *– foto tomada por un satélite en órbita sobre la Tierra*

Tornado

También se los llama remolinos. En el centro de un tornado la velocidad del viento llega a alcanzar los 400 kilómetros por hora.

torbellino *– fuerte viento que sopla en espiral*

Terremotos

La corteza de la Tierra está hecha de muchas piezas, o placas, que se deslizan constantemente unas sobre otras empujándose. A veces este movimiento hace que el suelo se abra, causando un terremoto.

Cómo suceden los terremotos

Cuando dos placas se mueven de golpe, el suelo tiembla y se mueve y aparecen grandes grietas en la superficie.

falla *– rotura de la corteza de la Tierra*

Línea de falla

Esta gran grieta en la tierra es la Falla de San Andrés, en California, EEUU. Dos de las placas terrestres se chocan aquí y una pasa sobre la otra. Esto ha provocado grandes terremotos.

Simulacros de terremotos

Los terremotos son muy comunes en algunos lugares. En Japón, los niños de una escuela usan gorros protectores al practicar un simulacro de terremoto.

simulacro *– ensayo de terremoto*

Volcanes

Un volcán es una montaña formada por roca fundida o lava. Esta roca líquida viene de lo más profundo de la tierra, y sale por grietas y puntos débiles de la corteza terrestre. Los volcanes pueden formarse en tierra o en el fondo marino.

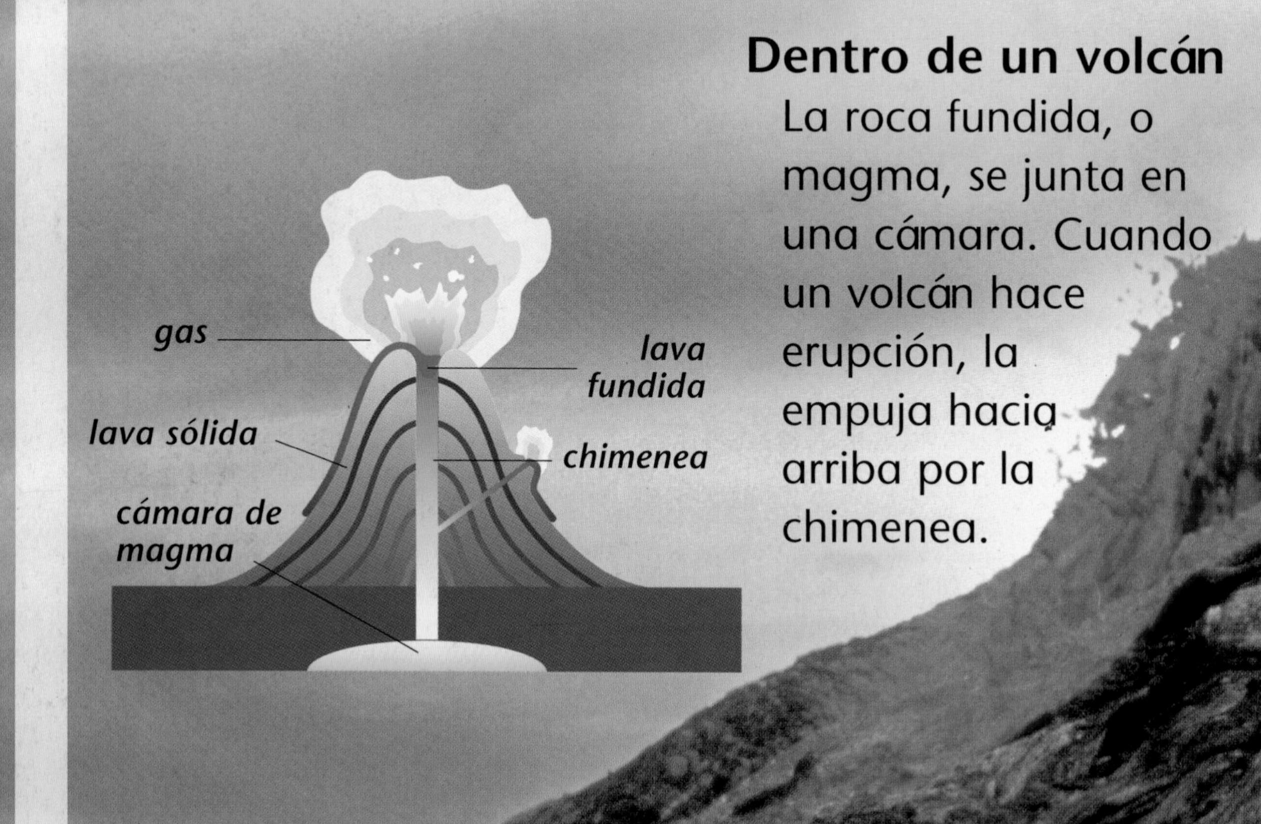

Dentro de un volcán

La roca fundida, o magma, se junta en una cámara. Cuando un volcán hace erupción, la empuja hacia arriba por la chimenea.

lava – *roca fundida en la superficie de la Tierra*

Lodo burbujeante

La tierra alrededor de los volcanes se calienta mucho. En la superficie, estanques de lodo o de agua burbujean y hierven constantemente.

Volcán gigante

El volcán activo más grande del mundo está en Hawai. Esta lava fluye del cráter del Mauna Ulu.

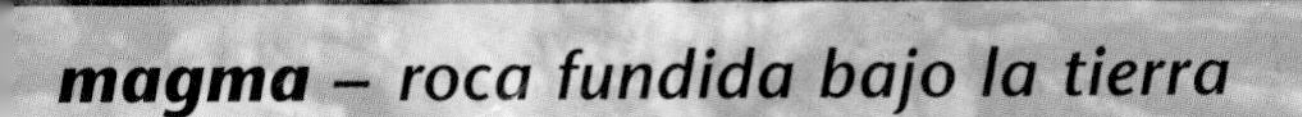

magma *– roca fundida bajo la tierra*

Montañas

Las montañas se forman tras millones de años, cuando dos placas bajo la corteza de la Tierra se empujan, produciendo grandes pliegues de roca. Al ser empujada la montaña hacia arriba, el hielo, el viento y el clima la desgastan. Esto es la erosión.

placas *– largos trozos de tierra que "flotan" sobre la roca inferior fundida*

Los Alpes

Los Alpes, en Europa, tienen millones de años. Las montañas jóvenes tienen picos aún porque el clima no ha tenido tiempo para suavizar los agudos bordes de la roca.

El Himalaya

Las 14 montañas más altas del mundo están en el Himalaya, en Asia. Estas montañas tienen más de 50 millones de años.

pico – *cumbre de una montaña*

Ríos y lagos

Todos los ríos llevan agua al mar. Algunos son tan potentes que cambian la forma del terreno por donde pasan. Arrastran rocas y lodo, y producen profundos valles y barrancos al pasar.

Lagos

Los lagos son estanques de agua dulce rodeados de tierra. Se pueden formar en cráteres o valles formados por movimientos de la corteza de la Tierra.

El trayecto de un río

Un río empieza su trayecto en tierras altas, donde fluye rápido hacia abajo. Al entrar a un valle, fluye lentamente en curvas, llamadas meandros.

valles *– áreas de tierras bajas*

El Gran Cañón

El río Colorado, en EEUU, ha cavado la garganta más profunda del mundo. Las rápidas aguas han desgastado la roca para crear el asombroso Gran Cañón del Colorado.

barrancos *– valles con bordes inclinados*

Océanos

Los océanos cubren la mayor parte del planeta. Tienen unas partes más profundas que otras, porque su suelo no es plano. Bajo el mar hay montañas y valles, planicies y profundas fosas.

Inmenso azul

Los cinco océanos principales son Ártico, Atlántico, Pacífico, Índico y Antártico. El mayor es el Pacífico.

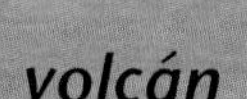

volcán

naufragio

fosa profu

fosas – *valles largos y estrechos*

Marea baja

En la marea baja se pueden ver estanques de roca en las playas rocosas. La marea alta los cubre de nuevo.

Islas

Algunas montañas y volcanes submarinos son tan altos que sobresalen de la superficie del agua. Muchas islas son las cumbres de montañas submarinas.

cadena de montañas

isla

Los polos

El Polo Norte está en medio del océano Ártico; un océano congelado, rodeado por las tierras más al norte del planeta. El Polo Sur está en el centro de la Antártida. La mayor parte está cubierta por una gruesa capa de hielo.

Ciencia de la Antártida

La Antártida es el continente más frío y con más viento. Allí sólo viven los científicos que trabajan en estaciones de investigación.

glaciares *– ríos de hielo en movimiento*

Icebergs

En la Antártida y el Ártico, los icebergs se desprenden de capas de hielo o glaciares y flotan en el océano helado. Sólo se ve una parte pequeña de ellos; el resto está bajo el agua.

Aurora boreal

La aurora boreal, o "Luz del Norte", puede verse al norte de Canadá, Alaska y Escandinavia. Esta espectacular exhibición ocurre en zonas muy altas de la atmósfera.

atmósfera *– aire en torno a la Tierra*

Desiertos

Los desiertos son los sitios más secos de la Tierra porque rara vez llueve. Algunos son arenosos, otros son rocosos. Unos son muy cálidos, y otros son muy fríos en invierno.

Plantas del desierto

Los cactus crecen en los desiertos americanos. Pueden vivir mucho tiempo sin agua debido a que la almacenan en sus gruesos tallos. Algunas aves hacen su casa en tallos de cactus.

cactus *– planta que puede crecer en lugares de poca lluvia*

Erosión por viento

En los desiertos puede hacer mucho viento. El viento lanza arena contra las rocas altas, y poco a poco las desgasta. En Monument Valley, EEUU, se ve cómo es capaz el viento de cambiar el paisaje en un desierto.

El desierto más grande

El Sahara, en el norte de África, es el desierto más grande del mundo. Tiene las dunas de arena más altas del planeta: hasta 430 metros de alto y cinco kilómetros de largo.

dunas de arena *– grandes colinas de arena formadas por el viento*

Bosques

Un bosque es una gran área de tierra cubierta de árboles. Casi una quinta parte del mundo la cubren bosques. Antiguamente había muchos más bosques pero las personas han ido talándolos.

Caducifolio

Los árboles que pierden las hojas en invierno se llaman caducifolios. En otoño las hojas cambian de color y se caen.

Bosque tropical

Los bosques tropicales crecen en países cálidos donde llueve mucho. Los bosques tropicales más húmedos tienen más de diez metros de lluvia al año.

Perenne

Los grandes bosques de árboles de hoja perenne están en el norte del planeta. No pierden las hojas en invierno. Al inclinarse sus ramas la nieve resbala.

bosque tropical *– bosque lluvioso, muy tupido*

Vida en la Tierra

La Tierra puede ser el único planeta del universo en el que haya vida. El oxígeno del planeta y el agua de los océanos son vitales para los seres vivos.

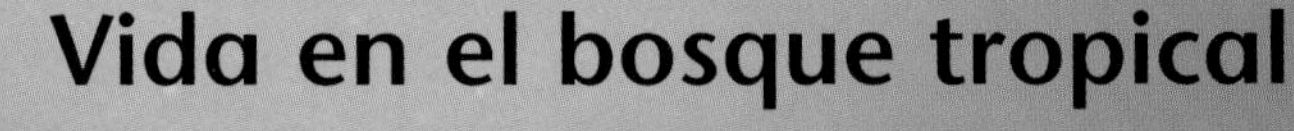

Vida en el bosque tropical

En la Tierra hay millones de especies de animales y plantas. Los bosques lluviosos tropicales son el hogar de más de la mitad de las especies de plantas y animales.

Cuándo se inició la vida

Los científicos creen que la vida en la Tierra empezó hace más de 3.500 millones de años. Desde entonces ha evolucionado. Los restos de criaturas antiguas nos dicen mucho de cómo fue la vida hace tiempo.

En el mar

Los océanos fueron hogar de los primeros animales. Algunas especies, como las tortugas marinas, tienen más de 200 millones de años.

oxígeno *– uno de los gases que hay en el aire*

Tesoros de la Tierra

Muchas de las riquezas naturales de la Tierra están ocultas a mucha profundidad. Se encuentran combustibles fósiles en rocas, a miles de metros bajo la superficie terrestre. Se formaron con los restos de plantas y animales antiguos.

Minerales

Las rocas están hechas de minerales. Algunos minerales raros, como los rubíes y diamantes de esta corona, se conocen como "piedras preciosas".

mineral *– sustancia natural dura*

Petróleo y gas

Petróleo y gas son combustibles fósiles que se bombean a través de perforaciones en la corteza terrestre. Se encuentran en lugares que están, o estuvieron antes, bajo el mar.

Carbón

El carbón es un combustible fósil de gran consumo para producir electricidad. Se extrae de minas muy profundas.

corteza *– capa exterior de la Tierra*

Cuidar la Tierra

La Tierra nos da comida, agua y aire para respirar. Pero las personas no la han cuidado y muchos lugares están hoy contaminados. Muchas especies de plantas y animales han desaparecido, o pronto lo harán. Debemos ayudar a limpiarla.

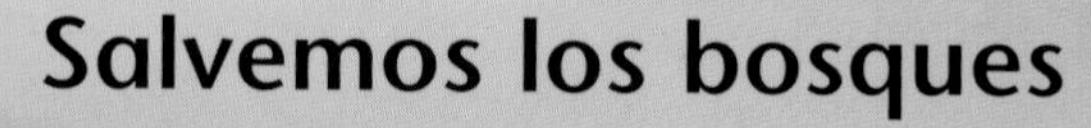

Salvemos los bosques

Los árboles ayudan a limpiar el aire, y dan cobijo a muy diversos animales. No deberíamos talar árboles sino plantarlos.

contaminado *– sucio*

Reciclado

Podemos hacer cosas nuevas de materiales viejos. Es decir, reciclar. Se pueden reciclar botellas, latas, papel, plástico y papel aluminio.

Nueva energía

Los científicos desarrollan nuevas formas de energía no contaminante. Muchas fuerzas de la naturaleza se pueden usar para producir electricidad.

Haz un volcán

Comprender las erupciones

Hay cerca de 700 volcanes activos en el mundo. Cuando uno hace erupción, enormes presiones subterráneas fuerzan a la roca líquida a subir a la superficie.
Puedes hacer un volcán con materiales sencillos. En tu volcán, el bicarbonato sódico se mezcla con vinagre para hacer gas de bióxido de carbono.

Con la arcilla haz un volcán hueco y ponlo en la bandeja. Mete dentro la botella de plástico.

Materiales

- arcilla
- bandeja para horno
- una botella pequeña de plástico con la tapa cortada
- bicarbonato sódico
- embudo
- vinagre
- colorante comestible rojo

Llena la botella por la mitad con bicarbonato sódico. Puedes necesitar un embudo.

Pon tu volcán y la bandeja para horno en una superficie plana. Lo mejor es llevarlo todo fuera de casa para no manchar.

Mezcla el vinagre con el colorante y échalo en la botella con el embudo.

¡Retírate y observa a tu volcán hacer erupción!

Medidor de lluvia

Medición de la lluvia

Hay una forma fácil de medir la cantidad de agua que cae durante una tormenta: poniendo un medidor de lluvia. Cuando deje de llover quita la tapa y vierte el agua en una jarra con medidas. Anota cuánta lluvia cayó.

Materiales

- botella grande de plástico
- tijeras
- gomas
- un palo fino
- jarra con medidas
- lápiz y papel

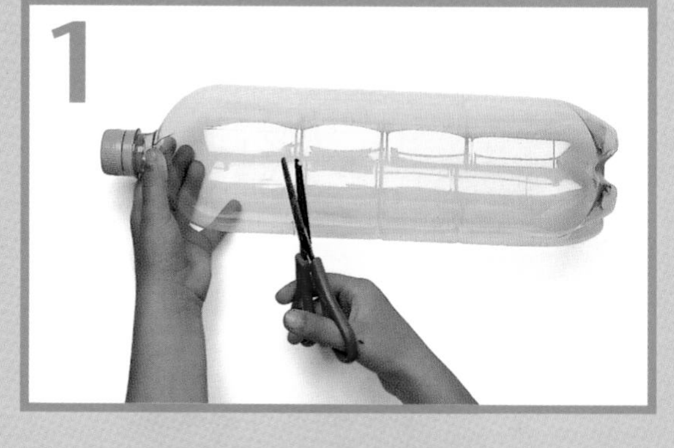

Con las tijeras, corta la parte superior de la botella de plástico. Puedes necesitar que te ayude un adulto.

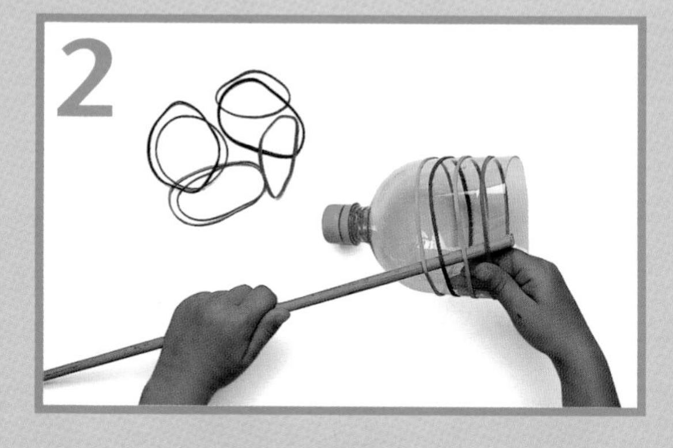

Pon las gomas alrededor de la botella y mete el palo entre las gomas y la botella, con la tapa de rosca boca abajo, para recoger la lluvia.

Haz un molinillo

Velas que giran

No puedes ver el viento, pero puedes observar lo que hace. Haz un molinillo de viento y mira cómo sopla el aire.

Materiales

- 2 cartulinas (cuadradas)
- papel y regla
- tijeras y cinta adhesiva
- tachuelas y una varilla

Dibuja una línea en cada cuadro de papel, de una esquina a la otra. Corta por esta línea para formar dos triángulos.

Ahora tienes cuatro triángulos. Dobla cada uno por la mitad, sujetando las puntas con cinta adhesiva.

Coloca una sobre otra las esquinas de los cuatro triángulos. Pide a un adulto que te ayude a clavarlas en la varilla.

Hábitat boscoso

Haz tu propio bosque

El sitio donde vive un animal y donde puede encontrar todo lo que necesita para sobrevivir se llama hábitat. Hay diversos tipos de hábitat en la Tierra. Tú puedes hacer una maqueta de un hábitat boscoso con materiales sencillos.

molde de árbol para calcar

Materiales

- una caja grande de zapatos
- témperas y pincel
- lápiz
- papel para dibujar
- cartulina
- tijeras
- pegamento
- plastilina
- material vegetal: hojas, hierbas o ramas
- animales de plástico

Pinta el interior de la caja de color marrón para la tierra, verde para la hierba y azul para el cielo.

Usa el molde de árbol calcando la silueta de la página anterior para dibujar árboles en la cartulina. Recórtalos.

Colorea los árboles. Cuando estén secos, pégalos dentro de la caja con pegamento. Pon hojas, hierbas y ramitas en la caja y mete a tus animales en su nueva casa.

Índice